Psy malgré moi

Psy malgré moi

Dossier 11:
Des baisers noyés dans des litres de salive

Un feuilleton de **Marie-Sissi Labrèche**
Illustrations de **Sarah Chamaillard**

la courte échelle

Oups. On s'est embrassées ! Juste comme ça, pour voir. On n'était plus vraiment nous-mêmes...

Catastrophe. Cataclysme. Roxanne révèle tous les secrets. Et nous met face à nos démons.

Dossier 11:

Des baisers noyés
dans des litres de salive

Dossier 11:
Des baisers noyés
dans des litres de salive

18 avril

Une bombe vient d'éclater. Roxanne aime une fille ! Et cette fille, si c'était moi ? Oh ciel ! Qu'est-ce que je vais faire ? Et puis, maintenant que son secret n'en est plus un du tout, Alexis va vouloir m'arracher la tête ! Justement, le voilà qui sort du gym.

— Alexis… Laisse-moi t'expliquer.

— Toi, tu t'enlèves de mon chemin. Je ne veux plus jamais te parler !

Alexis s'éloigne en colère.

Axel débouche à son tour dans le couloir. Il s'approche de moi et me lance son regard le plus sérieux.

— Ariane… qui es-tu ?

— Je te jure, Axel : je suis toujours la même !

— Je crois que j'ai besoin de réfléchir un peu…

— Mais Axel…

Trop tard. Il s'en va et je ne peux pas le rattraper, car Justin vient à ma rencontre, sourire fendu jusqu'aux oreilles.

—Dis donc, Ariane... On ne se serait pas douté de ça !

—S'il te plaît, Justin. Ne va surtout pas t'imaginer que je suis aux filles ! C'était juste un trip, une expérience. On avait bu...

—Tu bois, en plus ! Je ne te pensais pas aussi olé olé !

—C'était la première fois. Oh là là, j'ai l'air d'une dévergondée... J'ai honte !

—Tu n'as pas à avoir honte, on fait tous des expériences...

—Quoi, tu as déjà embrassé un autre gars ?

—Non. Mais, moi aussi, j'ai fait des gaffes...

—Lesquelles ?

Le signal de la fin de l'heure de lunch retentit.

—Sauvé par la cloche. Je t'appelle, ce soir, ma belle. Bye !

Au même moment, j'aperçois Sarah. Elle va me faire la gueule, j'en suis sûre. Pour l'éviter, je me dépêche de me rendre à ma case. J'attrape mon manteau et je déguerpis. Cet après-midi, je serai incapable de suivre mes cours. Mes émotions sont en bouillie tout comme mon nez, ma tête, ma gorge. Il faut que je dorme. Si j'étais restée couchée dans mon lit à soigner ma grosse grippe, jamais tout cela ne se serait produit.

///

20 avril

—Tu es sûre que tu vas être OK, ma chérie ? s'inquiète mon père, en prenant pour la centième fois ma température.

Plus moyen de voir mon père sans thermomètre et flacon de sirop à la main. Une vraie mère poule !

—Oui papa, ça va aller. Tu peux te rendre à ton nouvel emploi l'esprit en paix. Je suis une grande fille et je vais bien me soigner.

—Tu as encore pas mal de fièvre…

—Ça va passer. Je vais faire exactement ce que le médecin a dit : prendre mes antibiotiques pour régler son cas à cette méchante bronchite, boire beaucoup d'eau et garder le lit.

—Puisque tu me dis que tout va être OK, j'y vais !

—Bonne chance, papa. Je suis fière de toi.

—Merci !

Mon père quitte l'appartement avec entrain. Ça fait longtemps que je ne l'ai pas vu aussi enthousiaste.

C'est sa première journée comme ingénieur dans une firme de biotechnologie. C'est le beau-père de Jessica qui l'a embauché dans sa boîte. Au lieu de construire des antennes qui vont dans l'espace, mon père concevra des antennes qui entrent dans le corps humain pour régler des cas de cancer, de diabète, de cécité... Je suis très contente pour lui. Un peu moins pour moi, par contre. Cette bronchite me cloue au lit depuis deux jours. J'ai mal aux côtes à force de tousser. On dirait qu'un tracteur s'amuse à me passer sur le corps toutes les heures.

Ça fait deux jours que je n'ai de nouvelles de personne, mis à part Justin qui m'appelle souvent, mais comme je dors presque tout le temps, je ne lui ai pas encore parlé. Peut-être a-t-il des choses importantes à me dire à propos de ce qui s'est passé au gymnase ? En tout cas, je n'ai pas hâte de retourner à l'école, oh, ça non !

/ / /

25 avril

De retour à la poly. Ça fait un bail ! Les élèves sont étranges avec moi. Les garçons me regardent avec des yeux libidineux et les filles m'évitent. Oh ! Je comprends... Depuis mon histoire avec Jessica, on me prend pour une lesbienne ! Il va falloir que je me débatte avec ça, en plus de gérer tous mes autres problèmes... Alexis, entre autres. Je lui ai envoyé des tas de courriels d'excuses, mais il ne veut rien savoir. J'ai vraiment gaffé, ce coup-là.

Premier cours : mathématiques. Moi qui craignais ne pas être capable de suivre... ¡No hay problema! Pendant mon absence, la classe n'a pas beaucoup progressé. Pas plus qu'Axel dans ses réflexions, d'ailleurs. Il est froid avec moi. À la fin du cours, j'essaie d'entamer la discussion.

—Axel, attends-moi, dis-je en courant derrière lui.

—Oh, Ariane !

—Es-tu encore fâché contre moi ?

—Pas du tout ! Je suis... étonné, disons. Cette histoire de baiser entre filles m'a déstabilisé, et m'a fait peur aussi. Mais là, ça va mieux. On fait tous des choses étranges, parfois !

—Ouf... tu me rassures ! Dans ce cas, aurais-tu du temps pour qu'on se voie bientôt ?

—Je ne peux pas. Mon band et moi, on doit répéter presque à temps plein pour le spectacle de fin d'année. C'est dans moins d'un mois, et pas question qu'on joue nos anciens morceaux : ils ne sont pas assez bons. On doit composer de nouvelles pièces qui déménagent !

—Je comprends...

—Si ça te dit, tu peux venir nous voir au local...

—J'adorerais, mais j'ai encore un peu mal à la tête à cause de ma bronchite. Je ne me vois pas enfermée dans un petit espace, entourée de haut-parleurs, volume au max...

—C'est comme tu le sens. Ciao !

Axel a beau dire qu'il n'est pas fâché, j'ai l'impression que quelque chose a changé dans son comportement à mon égard. Et s'il n'était plus amoureux de moi ? Peut-être s'est-il fatigué de m'attendre ? Peut-être en a-t-il assez de me voir me comporter en petite abeille qui butine de fleur en fleur ? Avant, il me semble qu'il aurait négligé quelques-unes de ses répétitions pour être avec moi.

/ / /

27 avril

Depuis deux jours, j'évite Jessica. Les élèves bavassent déjà bien assez dans mon dos. De toute façon, ses clones sont tellement après elle depuis qu'elles savent que leur amie m'a embrassée ! On dirait qu'elles cherchent à l'empêcher de devenir lesbienne. Mais ça, c'est le moindre de mes soucis. Alexis ne veut toujours pas me parler. Ça aussi, je peux le gérer, car Alexis n'est pas dans mes cours. Mais Sarah, oui et, justement, j'ai expression dramatique. Pas moyen de l'éviter.

J'entre et, comme d'habitude, m'assois sur le tapis. Jessica vient pour s'installer à côté de moi quand ses clones se jettent rapidement entre nous. Roxanne arrive, l'air renfrogné. Elle me regarde. Je lui souris, mal à l'aise. Elle me sourit à son tour, mais ne s'assoit pas à côté de moi. Elle reste debout à l'arrière de la classe. Ça fait plus d'une semaine qu'on ne s'est pas parlé. Elle me fait peur. Non pas comme la première fois que je l'ai rencontrée, quand je craignais qu'elle me prenne pour un *punching bag*. Non, j'ai peur de ses sentiments : je n'arrête pas de penser qu'elle est peut-être amoureuse de moi. Qu'est-ce que je vais faire si c'est le cas ?

Sarah entre dans le local. Je vais avoir droit à son regard qui tue...

—Salut, Ariane !

Hein ? Elle m'a saluée.

—Euh... Allô, Sarah !

—Je voulais te dire...

—Si c'est pour exprimer ta colère, je ne suis plus capable d'en prendre. L'affaire Alexis, je m'en veux tellement, si tu savais !

—Ne panique pas, Ariane. Je ne suis pas du tout fâchée contre toi. Il était temps qu'Alexis sorte du placard et qu'il assume ce qu'il est. Je commençais à en avoir marre de l'entendre se plaindre à propos de son homosexualité. Là, il doit agir et regarder les choses en face.

Je suis soulagée. Les choses vont mieux que je le pensais. C'est le cœur léger que je traverse ma journée de cours. N'empêche que les choses ne sont plus tout à fait comme avant. Je me sens seule. Axel est plutôt froid et ne se montre pas disponible. J'évite Jessica et les clones. Roxanne est peut-être amoureuse de moi. Bref, on dirait que je n'ai plus d'amis ! Et puis, j'ai la tête qui tourne. Je m'accroche à la porte de ma case.

—Qu'est-ce que tu as, Ariane ? demande Justin en me tenant le bras. Tu es blanche comme un drap !

—Ça doit être des restants de ma bronchite.

—Je vais aller te reconduire chez toi. Tu es trop pâle, ça m'inquiète.

—Ce n'est pas nécessaire, Justin…

—J'insiste. Je ne me le pardonnerais pas si tu tombais dans les pommes sans que je sois là pour te rattraper.

—Merci, mon bon prince !

—De rien, belle damoiselle.

Je marche avec Justin. Tout au long du trajet, il s'amuse à me faire rire en se comportant en troubadour. Il est super tordant. Ça me détend.

—Gente dame, votre chevalier vous a protégée contre dragons et sorciers. Vous voilà maintenant à votre château.

—Merci, ô mon brave, je vous dois la vie !

—Que diriez-vous seulement de m'honorer d'un baiser ?

—*Baise m'encor, rebaise-moi et baise; / Donne-m'en un de tes plus savoureux, / Donne-m'en un de tes plus amoureux : / Je t'en rendrai quatre plus chauds que braise.*

Là, les choses se mettent à déraper. Justin prend au mot les vers de la poétesse de la Renaissance Louise Labé, qu'il ne doit pas connaître, et le voilà soudain rivé à mes lèvres. Je suis tellement surprise que j'en reste paralysée ! Du vrai marbre.

Justin redouble d'ardeur. Il fend mes lèvres avec sa petite langue vigoureuse comme un dard et m'envoie au moins deux litres de salive dans la bouche. Moi qui ai souhaité cet instant plus que tout, je ne fais que penser qu'il n'embrasse pas tellement bien. En tout cas, moins bien que Jessica et qu'Axel. Et toute cette bave... Veut-il me noyer ?

Justin cesse enfin de m'embrasser, me regarde avec des yeux de merlan frit et me serre dans ses bras.

—Oh, ma belle Ariane ! Ça faisait longtemps que j'attendais ce moment-là. Je suis heureux. Ce sera une histoire magique, nous deux. Qu'aimerais-tu faire ce soir ? Ça te dirait d'aller au cinéma ou quelque chose du genre ?

—Euh...

Tout va tellement vite ! J'ai à peine le temps de reprendre mon souffle et mes esprits qu'il m'embrasse de nouveau.

—Je t'appelle tantôt, ma beauté. Bye !

—Euh... Bye !

/ / /

29 avril

On sonne à la porte.

—Ariane ! lance mon père depuis l'entrée. Tu as de la visite !

Je sors de ma chambre et me retrouve face à face avec Roxanne. Je l'invite à entrer.

—Installe-toi. As-tu soif ?

Elle me lance un regard moqueur.

—Pas pour de la vodka, en tout cas !

Je deviens rouge comme une tomate. J'ai tellement honte ! Mais, même si ça me gêne atrocement, je dois saisir la perche que me tend mon amie.

—Justement... Tu sais, l'autre jour, avec Jessica... c'était plutôt une sorte d'accident. En fait, je ne suis pas vraiment attirée par les filles. Euh... Je t'aime beaucoup, Roxanne, mais peut-être pas exactement comme tu le souhaiterais...

—Nounoune ! Ce n'est pas sur toi que je tripe, mais sur Rébecca, la fille de mon cours d'anglais ! s'esclaffe Roxanne.

Je suis soulagée ! Dire que j'ai pensé que Roxy avait des visées sur moi ! Je me sens idiote. Enfin, je récupère mon amie. Ma vie va redevenir un peu plus comme avant. Avant que tout éclate dans le gym. Déjà que Roxanne soit assise sur mon lit, un dimanche soir, à bavarder avec moi en flattant Florida, je me sens mieux.

—C'est pour ça que tu m'évitais, j'imagine ? me demande -t-elle.

—Je ne t'évitais pas...

—À d'autres, OK !

—C'est vrai. Tu as raison... Mais c'est parce que j'en ai ma claque qu'on me prenne pour ce que je ne suis pas. Tu sais, Roxy, si tu n'avais pas gueulé devant la terre entière que j'ai embrassé Jessica, je n'aurais pas droit à ces superbes surnoms de... J'aime mieux ne pas les répéter, ils me mettent tellement en colère !

—Je le sais comment on vous appelle, Jessica et toi : les gouines !

—Quoi ?

—Hi ! hi ! hi !

—Merci, Roxanne !

—Si on ne vaut pas une risée...

—En tout cas, ça ne règle pas mon problème avec Justin.

—Quel problème ? Tu rêvais d'être avec lui, c'est ton fantasme numéro un... Tu as même eu une peine d'amour quand il t'a posé un lapin !

—Oui. Oui. Oui, Roxanne. Tu as raison.

—Alors quoi ?

Comme je vais répondre, mon cellulaire sonne : un texto de Justin. Il voudrait venir faire un tour chez moi.

—Oh! non! Pas encore lui... Regarde, dis-je en tendant mon cellulaire à Roxanne.

—Il veut venir te voir! Ça ne te tente pas?

—Non! Je n'ai plus de vie depuis deux jours. Pas moyen que je respire sans qu'il me souffle son gaz carbonique dans le visage. Je n'en peux plus!

Roxanne pouffe de rire.

—Merci pour la solidarité! me renfrogné-je.

—Quoi? Je ne vais quand même pas me mettre à pleurer! Tu voulais le beau Justin, tu l'as eu! Si tu es tannée de lui, dis-lui de faire de l'air. Vous ne vous fréquentez que depuis deux ou trois jours, il ne va quand même pas se jeter en bas du pont!

—Pas si sûr!

—Qu'est-ce que tu veux dire?

—Jessica avait raison: Justin souffre vraiment de dépendance affective... Il faut que je l'aide.

—Encore! Même en amour, tu te prends pour mère Teresa! Des vacances, ça ne te tente pas? Il me semble que les psys n'ont pas le droit de traiter leurs proches... encore moins s'il s'agit de leur amoureux! À moins que tu ne sois pas amoureuse de Justin... Hein, Ariane?

—Ben oui... Euh... Je le suis, réponds-je en regardant par terre.

—Tu en es sûre ?

—Oui, tannante !

—Comment se fait-il, alors, qu'à l'école, personne n'ait eu vent de votre histoire ?

—J'ai préféré qu'on reste discrets pour l'instant... pour ménager Jessica.

—Jessica est super contente de ne plus l'avoir sur les talons ! Donc ce n'est pas pour ça... Ça ne serait pas plutôt à cause d'Axel ?

Je ne réponds pas. Mon amie lit en moi comme dans un livre ouvert et ça me déstabilise. C'en est même frustrant !

—Assez parlé de moi. Qu'en est-il de ton histoire d'amour avec Rébecca ?

—OK, Mademoiselle a décidé de changer de sujet ! Comme tu veux. Mais il n'y a pas grand-chose à dire... Mon histoire est beaucoup moins compliquée que la tienne. Rébecca et moi, ça va bien. On a commencé à se voir après les cours.

—Est-ce que vous vous êtes embrassées ?

—Non... pas encore. Mais j'en meurs d'envie. Je la trouve tellement belle !

« Belle », ce ne serait pas le mot que j'emploierais pour parler de Rébecca. Petite, cheveux noir corbeau, teint cadavérique, chaînes décorant le tout. Elle fait plutôt peur, cette « emo ». Mais, dit-on, l'amour est aveugle...

— Est-elle au courant que tu craques pour elle ?

— Je ne sais pas.

— Quand vas-tu lui déclarer ta flamme ?

— Bientôt, parce que j'ai l'impression de brûler de l'intérieur quand je suis avec elle. Tu dois savoir de quoi je parle ! Toi aussi, tu dois vivre ça quand tu te retrouves avec Justin...

Roxanne m'a lancé ça avec ses yeux scrutateurs d'âme et son petit sourire ironique. Elle m'énerve !

Je ne réponds pas. De toute façon, mon cellulaire sonne de nouveau : encore Justin !

/ / /

21 mai

S'il me demande encore une fois comment je le trouve avec sa nouvelle coupe de cheveux, je le pousse en bas de l'escalier C !

Depuis que je suis arrivée à la poly ce matin, je n'ai pas eu une minute à moi : entre chaque cours, Justin s'empresse de venir me rejoindre et pour me demander sans arrêt comment je le trouve avec sa nouvelle coupe. Hier, en revenant du cinéma, Monsieur est allé chez le coiffeur. Et ce matin, Monsieur est insécure du cheveu. Monsieur veut que Madame le rassure. Mais Madame est super fatiguée. C'est que Madame n'a presque pas fermé l'œil de la nuit. Insomnie consécutive à une ingurgitation astronomique de sucre...

J'ai tellement mangé de bonbons au cinéma que quelques heures plus tard, dans mon lit, j'en tremblais presque. J'étais super speedée ! Depuis bientôt un mois, je passe presque toutes mes soirées avec Justin. Oui, Justin. Toujours Justin ! Soit on regarde des films d'action mettant en vedette Bruce Willis, soit on parle pendant des heures de volleyball ou de mécanique. Je n'ai jamais le temps de sonder mes sentiments envers lui : il est toujours là. Partout où je regarde. J'en ai le tournis !

Bref, comme je n'avais pas envie de passer la soirée à recevoir ses tsunamis de salive, j'ai eu l'idée du cinéma. Puis, de rage, devant un film plate, j'ai mangé des tonnes de bonbons. Et là, ben, je suis patraque.

—Tu ne trouves pas que René en a enlevé un peu trop sur les côtés ?

—Non, Justin. Tu es très bien comme ça. Et puis, dis-toi que ce ne sont que des cheveux, ils vont repousser.

—Oui, mais moi, je veux être beau pour toi, Ariane. Je veux que tu me trouves séduisant. Me trouves-tu séduisant ?

Je ne réponds plus rien. Je suis épuisée, vidée. Deux filles passent et me regardent comme si j'avais la lèpre. Encore cette histoire de lesbienne.

—Tu as vu comment ces pétasses-là t'ont dévisagée ? Tu sais, Ariane, il y a moyen de régler ce problème-là : on n'a qu'à montrer ouvertement qu'on se fréquente. Écoute, oublie Jessica et ses émotions. De toute façon, cette fille-là est froide comme une sardine congelée.

—Justin, je te rappelle que tu parles de mon amie.

—Oui, je sais bien… mais tu ne l'as pas connue intimement comme moi. Je pourrais t'en parler pendant des heures, de ton amie. En plus d'être froide, elle est incapable de compassion et d'empathie. Elle est loin d'être comme toi, avec ton grand cœur…

Ça m'ennuie qu'il dénigre Jessica. En plus d'être constamment sur mes baskets, Justin a pour vilaine habitude de descendre les êtres qui lui ont dit non ou qui ne sont pas d'accord avec lui. Si on n'était plus ensemble, je crois qu'il ferait pareil avec moi.

—Arrête, Justin. Les sentiments de mon amie sont importants pour moi. Tu ne vas pas me changer.

—Tu as un grand cœur, répète-t-il en me caressant la joue.

Au même moment, Axel se pointe à sa case. Je m'empresse de m'éloigner de Justin. Mouvement que mon chum sent. « Chum »... que c'est étrange d'employer ce mot-là ! On dirait qu'il sonne faux dans ma bouche, dans ma tête.

—Bon, ben, Justin, on se voit tantôt, en morale. Là, je dois parler à Axel.

Justin regarde Axel avec des yeux assassins, puis se tourne vers moi sans un mot. Après trente bonnes secondes de ce silence, il s'en va. Je viens de lui faire mal. C'est la première fois que je le vois réagir avec ce comportement possessif.

—Qu'est-ce que tu voulais me dire, Ariane ?

—Oh, rien... Ah ! si... Comment vont tes répétitions ?

—Super ! On a composé la toune du siècle, hier. Ça sonne comme une tonne de briques. C'est une chanson que tu écoutes avec tes tripes, et les guitares sont...

Je retrouve mon ami, et ça me fait du bien. Axel est super emballé quand il parle de ce qu'il aime. Ses yeux brillent. Il est beau. Vraiment beau. Il m'a manqué. Beaucoup plus que je le pensais.

—En tout cas, c'est sûr qu'on va être prêts pour le spectacle la semaine prochaine. Tu vas y être, hein ?

—Je ne raterai pas ça pour tout l'or du monde.

—Tant mieux ! Il faut que tu y sois : ce concert n'aurait aucun sens si tu n'y venais pas.

Quand il me dit ça, ses yeux transpercent mes yeux pour aller sonder mon cœur. Des papillons se mettent à virevolter dans mon estomac. Axel approche son visage du mien. Je suis hypnotisée.

—Hé ! Je te trouve ! nous interrompt Sacha, le bassiste du groupe d'Axel. On a un pépin avec la batterie de Philippe, il faut que tu viennes tout de suite au local de musique.

—J'arrive. Bon, ben, Ariane, à plus !

—Oui, à plus…

Je me suis inquiétée pour rien. Axel répétait vraiment avec son groupe et ce n'est pas par « écœurantite » de moi qu'il ne peut pas me voir ces temps-ci. Je suis super contente… Mais pourquoi à ce point ? Ça ne devrait pas me faire autant d'effet. Après tout, je sors avec mon fantasme numéro un, le beau Justin ! Pourquoi l'ai-je tant voulu, si c'est pour qu'il me tape sur les nerfs? J'ai juste envie de m'enfuir quand je suis avec lui! Et jusqu'à tout récemment, c'était pareil avec Axel. Qu'est-ce que j'ai? Shakespeare a écrit: «On est toujours plus ardent à la poursuite qu'à la jouissance.» Pas mal, comme pensée. Mais je ne me comprends plus, et je n'aime pas ce que je suis devenue... Il faut que je me branche, je ne peux pas courir indéfiniment deux lièvres à la fois!

Justin, lui, a besoin de moi. Si je ne l'aide pas à se guérir de sa dépendance affective, qui le fera? Si je lui inculque un peu de confiance en lui, d'estime de soi, il ressemblera davantage au Justin qui m'a fait fantasmer.

Parlant du loup... Justin m'attend à l'escalier B, il sait que je dois me rendre à mon cours de français. Il a l'air inquiet.

—Qu'est-ce que tu voulais lui dire, à Axel?

—Je voulais savoir comment se déroulaient ses répétitions. Tu sais, il travaille super fort pour son concert de la semaine prochaine.

—Fiou! Je suis rassuré.

Justin me serre dans ses bras.

—J'ai eu peur que tu ne m'aimes plus. Moi, je t'aime.

Aimer ! Il a dit : « Je t'aime. » Ouille ! Ça commence à être sérieux. Et ça ne me plaît pas qu'il me dise ça si rapidement. Il me semble que ce mot implique beaucoup. Ce n'est pas comme dire merci ! Et puis, cette façon qu'il a de se comporter en mollusque...

C'est étrange... Je me rends soudain compte que je ne suis vraiment pas comme Nadia. Ma sœur adorait que les garçons rampent à ses pieds. Qu'ils bavent devant elle et fassent ses quatre volontés. Elle était championne dans l'art de dégoter des amoureux dépendants. Peut-être avait-elle peur d'être plaquée ? Car c'est la peur du rejet qui se cache derrière la dépendance amoureuse et qui pousse celui qui en souffre à mettre ses propres besoins de côté pour exécuter tous les désirs de l'être aimé. En tout cas, moi, je suis loin d'aimer ça. Je préfère de beaucoup un gars comme Axel qui a une colonne vertébrale et qui...

Ariane, tu es épouvantable ! Ton fantasme numéro un te dit qu'il t'aime, il te regarde en ce moment même avec la larme à l'œil, car il a eu peur de te perdre, et toi, tu penses à un autre... Tu ne sais vraiment plus où tu en es !

—Dis, mon amour, tu veux bien venir manger chez moi ce soir ? Ma mère aimerait beaucoup faire ta connaissance.

Il m'a appelée « mon amour ». J'ai un goût étrange dans la bouche, comme si je venais de sucer un citron. En plus, sa mère veut me rencontrer... À quand les faire-part pour notre mariage ?

—Euh... Non. Non, Justin. Pas ce soir. Je suis fatiguée et j'aimerais passer un peu de temps toute seule...

—Pourquoi seule ? Tu n'as pas envie de me voir ? Chacune de mes respirations, moi, je les passerais avec toi.

—Moi, j'ai parfois besoin de faire des choses pour moi.

—Qu'est-ce que tu aimerais qu'on fasse pour toi ?

—Non ! Pas ce que j'aimerais qu'ON fasse, ce que JE veux faire, moi. Tu n'as pas envie de faire des choses pour toi-même, des fois ?

—Te voir est la plus belle chose que je peux faire pour moi-même.

Ce n'est vraiment pas évident de lui faire entendre raison, à celui-là. C'est pire que de la dépendance affective... c'est du pot de colle affectif !

—C'est gentil, ce que tu dis là, Justin. Mais on ne peut pas être constamment accrochés l'un à l'autre comme des siamois.

—Mes parents sont toujours ensemble. Ils travaillent ensemble, rentrent du boulot ensemble, font des courses ensemble, prennent des cours de danse ensemble... et ça leur réussit ! Ça fait quinze ans qu'ils sont mariés et très heureux. Allez, viens à la maison ce soir. Tu les aimeras, j'en suis sûr. Eux, ils t'aiment déjà. Je leur ai tellement parlé de toi...

Ah, c'est pire que pire ! Il ne veut absolument rien entendre.

—Justin, j'irai ce week-end, d'accord ? Ce soir, il faut vraiment que je me repose. J'ai l'impression que ma bronchite menace de revenir. Tu n'entends pas siffler mes bronches ?

Je me mets à respirer en faisant le plus de bruit possible.

—Tu as raison... Dans ce cas, repose-toi, ma petite chérie d'amour.

Ouf !

/ / /

24 mai

Cette semaine, je n'ai pas réussi à passer ne serait-ce qu'un soir toute seule. Même après en avoir fait la demande à Justin, ça n'a pas réussi. Il s'est pointé chez moi avec un immense contenant de soupe que sa mère avait expressément cuisiné pour m'aider à me remettre de ma vilaine bronchite. En d'autres circonstances, j'aurais trouvé le geste touchant, mais là, c'était trop.

Justin n'a pas décollé, même si par moments j'ai été imbuvable. Je lui ai lancé toutes sortes de piques : un petit mot par-ci sur sa fameuse coupe de cheveux qui n'est pas très réussie, un petit mot par-là sur sa façon de ne jamais défendre ses idées, un autre petit mot sur son manque de culture... Il m'énerve, et ça me rend méchante. Bien sûr, j'ai essayé de lui glisser quelques mots plus délicats sur son problème de dépendance affective... en vain. Il m'a regardée comme si je lui faisais une démonstration de produits Tupperware : ça ne s'adresse pas à lui.

En tout cas, c'est ce soir que je mange chez lui et que je vais faire connaissance avec sa famille. Ça ne me tente tellement pas ! Mais au moins, tout de suite après, je vais au spectacle de fin d'année. J'ai tellement hâte d'entendre les nouvelles compositions d'Axel ! Et puis Rébecca fait un petit numéro de magie en première partie. Elle qui semble si timide, j'ai hâte de voir comment elle se tirera d'affaire sur scène. Qui sait ? peut-être fera-t-elle apparaître le fantôme de Michael Jackson ? Oh oui, j'ai super hâte ! Roxanne m'attend et, en prime, je n'aurai pas Justin sur les talons. Il a promis à son père de jouer dans la mécanique de leur voiture de collection, une vieille Ford 1960. Évidemment, Justin aurait aimé que je reste. Mais, la mécanique et moi... Ça, au moins, il l'a compris : lui, ce sont les spectacles de fin d'année qu'il trouve plates.

/ / /

—Comment trouves-tu la sole au beurre, Ariane ? me demande le père de Justin.

—Délicieuse !

Les parents de Justin sont si contents de ma réponse que sa mère se lève et m'embrasse sur chaque joue.

—Ma femme avait si peur que tu n'apprécies pas sa cuisine. Hein, ma chérie ?

—Mon amour, ne révèle pas tous mes secrets ! proteste-t-elle, rouge comme une tomate.

—Elle est comme ça, la maman de Justin : elle veut toujours faire plaisir aux autres.

—Mais c'est important de penser aux autres. Pas vrai, Ariane ?

—Vous avez raison, madame. À condition de ne pas trop s'oublier !

—C'est bien vrai. Mais pour moi, penser aux autres, c'est comme penser à moi !

Impossible de les détester. Les parents de Justin sont vraiment gentils. Ils m'ont très bien accueillie et ont tout fait pour me faire plaisir. Et ils ont tellement l'air de s'aimer ! J'ai un peu de mal à voir où ils ont pu bâcler l'éducation sentimentale de leur fils. Comment ont-ils fait pour qu'il se retrouve avec un manque affectif gros comme une piscine hors terre ?

Après le dessert, je peux enfin filer. Yé !

///

Me voici enfin dans l'amphithéâtre de la poly. Je ne pensais jamais pouvoir me libérer de Justin. Il m'a tellement embrassée, avant que je parte, que j'ai cru qu'il allait m'avaler !

L'amphi est rempli à craquer. Où peut bien être Roxanne ?

—Hé ! Ariane ! Ici ! crie mon amie assise à côté de l'allée centrale. Je t'ai gardé une place au chaud. Comment ça s'est passé, chez tes beaux-parents ?

—Très bien. Ils sont super gentils. Mais ne les appelle pas « mes beaux-parents » !

—Ariane, je ne comprends pas pourquoi tu poursuis cette relation avec Justin. Tu ne l'aimes pas.

—Mais si !

—OK. As-tu envie de faire l'amour avec lui ?

—Ben là, Roxy, c'est privé !

—Allez, réponds ! As-tu envie de perdre ta virginité avec lui ?

La question de Roxanne me percute. Quand j'essaie d'imaginer de quoi ça pourrait avoir l'air, c'est Axel que je vois apparaître au-dessus de moi.

—Ariane, regarde ! C'est Rébecca !

Sur scène, la flamme de Roxanne fait disparaître dans son pouce des pièces de monnaie, puis une cigarette allumée. Puis elle transforme des bâtons en cordes molles… Elle est habile ! Et on dirait que, sur scène, elle s'affranchit de sa timidité habituelle. Son charisme me frappe. De plus, avec sa grande cape de velours noir, son visage poudré tout blanc et son maquillage de scène qui lui fait d'immenses yeux inquiétants, Rébecca est très élégante. Je comprends soudain beaucoup mieux ce qui fascine Roxanne chez elle.

—Tu es là, mon amour !

Je me retourne. Justin vient de s'accroupir dans l'allée, juste à côté de moi.

—Justin! Tu n'étais pas censé faire de la mécanique avec ton père?

—Tu avais raison, ma belle : la mécanique, c'est ennuyeux... quand tu n'es pas là.

Puis Justin passe ses bras autour de moi et approche son visage du mien pour m'embrasser, alors que nous avions convenu de garder notre histoire secrète. J'éclate.

—Assez!

Justin sursaute :

—Qu'est-ce qu'il y a?

—Suis-moi!

On sort de l'amphi.

—Justin, je ne suis plus capable. Je ne peux jamais avoir la paix deux minutes! Tu ne me laisses pas respirer! Je vais te dire : tu es un dépendant affectif et, comme tu es incapable de rester avec toi-même, tu es constamment accroché à mes baskets... Sauf que moi, je n'en peux plus!

—Ariane, calme-toi! Tout d'abord, arrête avec cette histoire de dépendant affectif! Je ne souffre pas de ça.

—Oui!

—Non! Je sais quand même ce que je suis et ça, je ne le suis pas. J'aime faire plaisir, te faire plaisir, car je t'aime. Je suis comme mes parents. Ils m'ont appris que l'amour, c'est de vouloir le bien de l'autre en premier. Tu sais, Ariane, les gens n'ont pas tous des problèmes psychologiques !

Zut ! Pour la première fois, j'envisage que je me suis peut-être gourée. Si Justin était seulement gentil ? Ça existe, après tout ! Aurais-je été exagérément influencée par les propos de Jessica ?

—Ariane, je t'aime… mais je vois bien que tu ne ressens pas la même chose pour moi. Je pensais qu'en t'aimant super fort, ça allait t'encourager… mais non. Tu aimes Axel ! C'est avec lui que tu devrais être. Moi, je te rends ta liberté.

Puis il tourne les talons et s'en va comme un chien piteux.

Je n'en reviens pas que Justin, comme Roxanne, ait pu lire ainsi en moi. Aurais-je perdu tout discernement ? Suis-je atteinte d'un excès de confiance en mes capacités de psy ? Où est passé mon instinct ?

—Ariane ! Vite ! crie Roxanne. Le *band* d'Axel va jouer.

Je retourne en courant dans l'amphi, juste comme Axel s'approche du micro.

—Mesdames et messieurs, nous sommes le groupe Borderline !

Riffs de guitare hyper puissants et batterie qui défonce. Tout le monde se lève et se met à danser. Axel explose littéralement sur scène. Il est super bon, beau, *hot*, extraordinaire. Et c'est vrai que ses chansons déménagent. Je ne peux pas empêcher mes yeux de le fixer.

Après cinq ou six chansons, il s'adresse à la foule :

—La dernière chanson que nous vous offrons ce soir est interprétée par Ellen Page et Michael Cera dans le film *Juno*. Je voudrais la dédier à la fille que j'aime. Ariane Labrie-Loyal, si tu veux bien venir me rejoindre sur scène...

Tout le monde me regarde. Je suis tellement gênée ! Roxanne me pousse dans le dos :

—Vas-y ! Go !

Mes pieds sont en béton.

La foule se met à scander :

—A-RIANE ! A-RIANE ! A-RIANE !

Mes jambes se mettent alors à avancer mécaniquement. Comme dans un rêve, je me retrouve sur scène. Axel me fait asseoir avec lui sur le bord de la scène et se met à chanter en s'accompagnant de sa guitare : « *You're a part-time lover and a full-time friend...* » Une fois la pièce terminée, Axel approche son visage du mien. On s'embrasse, enveloppés par les lumières chaudes et par la foule qui applaudit. Pour la première fois depuis très longtemps, je me sens à ma place.

J'ouvre les yeux et je souris à Axel. Puis, je regarde la foule...

Entre deux changements d'éclairage, je croise le regard d'un grand brun hyper baraqué qui se tient tout au fond de la salle. Des chocs électriques me transpercent le corps.

C'est Josh.

Dossier 12

en vente partout le 24 mai

Fantasme n° 1 ? Plutôt illusion n° 1 ! J'ai bien cru que Justin me collerait à la peau jusqu'à la fin de mes jours. Mais heureusement tout rentre dans l'ordre. Après une scène digne des films les plus romantiques, je vais enfin pouvoir filer le parfait amour avec le plus beau guitariste de la poly. Ouf, j'ai bien mérité de souffler un peu. Un peu. Car même si tout va bien avec Axel, quelqu'un m'en veut. Je ne sais pas qui. Mais j'ai beau vouloir dédramatiser, le harcèlement continue. Et s'aggrave. Combien de rivières devrai-je traverser avant d'atteindre le bonheur ?

LA DISCUSSION DE L'HEURE :
T'es-tu déjà disputée avec ta
meilleure amie ? Pourquoi ?
Comment vous êtes-vous retrouvées ?

epiz

Labrèche blogue !

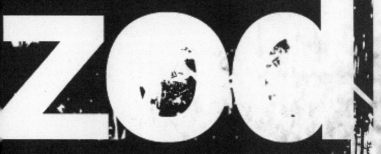

Pavel

Matthieu Simard

Coffret Pavel 1 - Épisodes 1 à 7

Maintenant
réunis
en coffrets !

Coffret Pavel 2 - Épisodes 8 à 13
En prime, le premier épisode de la série (K)

Les Allergiks

andré marois

Coffret Les Allergiks 1 - Épisodes 1 à 7

Maintenant
réunis
en coffrets !

Coffret Les Allergiks 2 - Épisodes 8 à 13
En prime, le premier épisode de la série Rock&Rose

Marie-Sissi Labrèche

Lorsqu'elle était jeune, Marie-Sissi voyait son avenir tracé : elle voulait devenir sexologue. Mais un jour, à dix-sept ans, la jeune Montréalaise commence à lire *La grosse femme d'à côté est enceinte* de Michel Tremblay. C'est la révélation. Elle se tourne vers la littérature et obtient une maîtrise en création littéraire. Elle n'a cessé d'écrire depuis : journaliste pour la presse féminine, auteure et scénariste. Elle a entre autres coscénarisé le film *Borderline*, tiré de ses romans, qui a notamment reçu le prix Génie de la meilleure adaptation en 2008. Précisons que Marie-Sissi écrit souvent devant la télé, sur son divan rouge, en position dite « de la crevette ».

Sarah Chamaillard

Le domaine de Sarah, c'est l'image. Elle a suivi un programme de trois ans en illustration et elle travaille aujourd'hui dans le monde du jeu vidéo. La Sarah adolescente était un peu la même que la Sarah adulte. Avec moins de confiance en elle. Aujourd'hui, elle aimerait pouvoir se rencontrer au secondaire pour se dire que ça ne vaut vraiment pas la peine de s'en faire avec de petites choses. Et malgré toutes les questions qu'elle se pose encore, elle aime bien ce qu'elle est devenue.

Les éditions de la courte échelle inc.
5243, boul. Saint-Laurent
Montréal (Québec) H2T 1S4
www.courteechelle.com

Directrice de collection : Geneviève Thibault
Direction littéraire : Anne-Sophie Tilly
Révision : Vincent Collard
Directeur de conception : Jean-François Lejeune
Direction artistique : Mathieu Lavoie et Bartek Walczak
Infographie : Aurélie Roos

Dépôt légal, 2ᵉ trimestre 2010
Bibliothèque nationale du Québec

La courte échelle reconnaît l'aide financière du gouvernement
du Canada par l'entremise du Programme d'aide au développement
de l'industrie de l'édition pour ses activités d'édition. La courte échelle
est aussi inscrite au programme de subvention globale du Conseil
des Arts du Canada et reçoit l'appui du gouvernement du Québec
par l'intermédiaire de la SODEC.

La courte échelle bénéficie également du Programme de crédit
d'impôt pour l'édition de livres – Gestion SODEC – du gouvernement
du Québec.

**Catalogage avant publication de Bibliothèque et Archives nationales
du Québec et Bibliothèque et Archives Canada**

Labrèche, Marie-Sissi

    Des baisers noyés dans des litres de salive

    (Psy malgré moi ; dossier 11)
    (Epizzod)
    Pour les jeunes de 12 ans et plus.

    ISBN 978-2-89651-315-4

    I. Chamaillard, Sarah. II. Titre. III. Collection: Labrèche, Marie-Sissi.
Psy malgré moi ; dossier 11. IV. Collection: Epizzod.

PS8573.A246D482 2010   jC843'.6   C2010-940704-0

PS9573.A246D482 2010

Imprimé au Canada

Dans la même série :